Ná Gabh ar Scoil!

Máire Zepf a scríobh

Tarsila Krüse a mhaisigh

Do Lorcán, Cillian agus Áine; trí réalta a thosaigh ar scoil go sona sásta — Máire

Do Eric agus Otto; an bheirt a rinne Mam díom — Tarsila

Foilsithe den chéad uair ag Futa Fata,

An Spidéal,

Co. na Gaillimhe, Éire

An chéad chló © 2015 Futa Fata

An téacs © 2015 Máire Zepf

Maisiú © 2015 Tarsila Krüse

Dearadh, idir leabhar agus chlúdach: Anú Design, Teamhair na Rí

Tá Futa Fata buíoch d'Fhoras na Gaeilge (Clár na Leabhar) faoin tacaíocht airgid.

Foras na Gaeilge

ISBN: 978-1-906907-98-3

"Faoi dheireadh!" arsa Cóilín. "Tá an lá mór ann!"

Chuir Cóilín air a chuid éadaí nua.
"Nach mise atá go hálainn?" ar seisean.

"A Mhamaí!" a scairt sé.
"Éirigh go gasta! Níl mé ag iarraidh a bheith mall
don scoil ar mo chéad lá!"

D'ith Cóilín bricfeasta breá.
"Anois, tá mé réidh," arsa seisean.

Chuir sé air a chóta nua.
Bhí sceitimíní air!
Ní raibh aige ach an t-aon fhadhb amháin.

Ní raibh Mamaí sásta.
"Ná gabh ar scoil!" a bhéic sí.
"Fán anseo liomsa, a Chóilín!"

Labhair Cóilín go cineálta léi.
"Bíonn rudaí nua scanrúil in
amanna, a Mhamaí. Ach beidh tú
go breá nuair a bheidh tú ann.
Fán go bhfeicfidh tú."

Thug Cóilín croí isteach teann di agus d'imigh siad leo, lámh ar lámh.

D'fhéach Mamaí thart ar chlós na scoile. "Seo linn abhaile," a deir sí.
'Níl aithne agam ar bhéar ar bith san áit seo!"

"Ná bí buartha, a Mhamaí!" arsa Cóilín. "Cuirfidh tú aithne ar na tuismitheoirí eile gan mhoill. Tá cuma an-deas orthu."

"Maidin mhaith!" arsa an múinteoir. "Is mise Bean Uí Nualláin."

"Fáilte romhaibh isteach chuig an seomra ranga.
Ná bíodh faitíos oraibh – tá muid uilig cairdiúil anseo!"

Roimh i bhfad, bhí Mamaí sona sásta.
Thaitin an bosca gainimh go mór léi.
Agus bhí cúinne na cistine go hálainn!

"Péinteáil!" a deir sí. "Is aoibhinn liom bheith ag péinteáil!"

"A Mhamaí, tá tusa rómhór don scoil!" arsa Cóilín léi.
"Caithfidh tú dul abhaile anois."

"Níl mé ag iarraidh dul abhaile!" a scread Mamaí go fiáin.
"Is maith liom anseo é! Tá mé ag iarraidh fanacht ar scoil leatsa!"

Phóg Cóilín a lámha féin. "Tabhair leat abhaile na póga seo,"
a deir sé. "Má chronaíonn tú i rith an lae mé, cuir lámh i do phóca
is tarraing amach póg. Ansin mothóidh tú an grá atá agam duit,
fiú nuair nach bhfuil muid le chéile."

Bhí Mamaí ar a suaimhneas
anois agus d'imigh sí abhaile.
Bhí Cóilín sásta chomh maith.
Bhí a fhios aige go mbeadh
Mamaí ceart go leor.

"Am rince!" arsa an múinteoir.
"Is breá liom an scoil!"
a bhéic Cóilín.

Bhí spórt agus spraoi aige
lena chairde nua.

Bhí iontas an domhain air nuair a chuala
sé 'cling-cling-cling' an chloigín.
Bhí sé in am dul abhaile cheana féin!

Taobh amuigh, bhí Mamaí ag fanacht.
Rug Cóilín barróg ollmhór uirthi.
"Nach tú a bhí cróga, a Mhamaí!"

"Beidh gach rud i bhfad níos fusa duit amárach –
fán go bhfeicfidh tú," arsa Cóilín agus iad ag siúl abhaile go sásta.

"Amárach?" arsa Mamaí de gheit.
"Ná habair go mbeidh tú ag dul ar scoil arís amárach!"